LAURENT GAULET
SPÉCIAL
BLONDES

LAURENT GAULET
SPÉCIAL
BLONDES
FIRST
Editions

ISBN 2-75400-220-0
Dépôt légal : 2e trimestre 2006
Imprimé en Italie
Création graphique : Kumquat
Dessin de couverture : Kum Kum Noodles / Costume 3 pièces

Cet ouvrage est proposé par e-novamedia

Nous nous efforçons de publier des ouvrages qui correspondent
à vos attentes et votre satisfaction est pour nous une priorité.
Alors, n'hésitez pas à nous faire part de vos commentaires :

Éditions Générales First
27, rue Cassette
75006 Paris – France
Tél. : 01 45 49 60 00
Fax : 01 45 49 60 01
e-mail : firstinfo@efirst.com

Le facteur sonne...

Un facteur sonne
à une porte, une blonde
lui ouvre...
- Bonjour, mademoiselle !
Je vends les calendriers
de cette nouvelle année...
- Non, merci ! J'ai déjà celui
de l'année dernière,
il est très bien...

... toujours deux fois !

Un facteur remet une lettre
à une blonde :
- Tenez !
Cette lettre est pour vous,
elle est arrivée par avion.
- Menteur ! crie la blonde.
Je vous ai vu arriver
en vélo !

Blondes de mère en fille...

Un homme demande une blonde en mariage. Cette dernière, bien que très amoureuse de lui, décline l'offre et s'explique :

- Il faut que tu me comprennes... Chez moi, c'est une tradition : on se marie en famille ! Mon père avec ma mère, mon oncle avec ma tante, mon grand-père avec ma grand-mère...

Sens dessous dessus

Pourquoi
les blondes
ont-elles écrit
« LSD » sur le
devant de leur
tee-shirt ?
Les Seins Devant...

À la baguette !

Pourquoi n'utilise-t-on
jamais de la peau
des blondes pour faire
des tambours ?
Avez-vous déjà vu
une blonde raisonner ?

Ça tourne pas rond...

Comment rendre
une blonde folle ?
En l'enfermant dans
une pièce circulaire et en
lui disant de s'asseoir
dans un coin !

De quoi hérisser les poils !

Pourquoi certaines
blondes portent-elles
les cheveux dressés ?
Pour attraper
ce qui leur passe
au-dessus de la tête.

Que c'est dur !

Quelle différence y a-t-il
entre le beurre qui sort
du frigo et une blonde ?
Le beurre qui sort du frigo
est plus difficile à étendre !

Besoin de s'aérer l'esprit ?

Pourquoi les blondes
roulent-elle
la portière de
la voiture ouverte ?
Pour avoir
de la lumière
afin de se remaquiller.

Ça fait froid dans le dos !

Pourquoi les blondes
mettent-elles
de la glace au frigo ?
Pour le garder
bien froid !

Retour à l'école...

Le directeur d'une école reçoit une blonde qui postule pour un poste de surveillante.

- Bonjour, mademoiselle. Je présume que vous savez surveiller ?
- Oui, bien sûr !
- Bien. Avez-vous l'habitude de rester debout ?
- Oui, ça m'arrive...
- Bien. Vous aimez les enfants ?
- Heu... Pour cela, je préfère qu'on attende un peu...

Pas de chance...

Une secrétaire blonde est en larmes à son bureau. Sa collègue lui demande :

- Qu'est-ce que t'as ?
- Tu t'es encore faite larguer ?
- Non, c'est pas ça... Mon père vient de me téléphoner : ma mère est morte !
- Oooh... Je suis désolée... Tu veux un café ?
- Non, merci.
- Demande à rentrer chez toi ?
- Non, je vais rester travailler, ça me changera les idées.

La blonde reprend son travail
mais une heure plus tard,
elle reçoit un autre appel
téléphonique et elle éclate
de nouveau en sanglots.
Sa collègue lui demande :
- Qu'est-ce que tu as ? Ne me dis
pas que tu t'es faite larguer ? Pas
aujourd'hui !
- Raconte-moi...
- Non, c'est horrible... Ma sœur
vient de me téléphoner : sa mère est
morte aussi...

Transfert de données

Quel risque y a-t-il
à vouloir échanger
des idées avec
une blonde ?
De se retrouver
l'esprit vide.

L'œil aussi vif qu'une morue

Un groupe de blondes visite
un aquarium. Pour se moquer d'elles,
le guide explique, tout en désignant
un poisson, qu'il suffit de fixer
cette espèce de poisson droit
dans les yeux pour parvenir
à lui transférer son intelligence !
Intriguées, les blondes
s'approchent de l'aquarium
et se mettent à fixer le poisson
droit dans les yeux.
Une minute plus tard, les blondes
se mirent à frétiller par terre...

À quatre pattes

Quel point commun
y a-t-il entre
une tortue
et une blonde ?
Elles agitent les jambes
quand on les retourne.

Quel vide !

Pourquoi beaucoup
de blondes
travaillent-elles
à la NASA ?
Parce que la NASA
fait des recherches
sur les trous noirs.

Un coup pour rien

Quel point commun
y a-t-il entre une blonde
après l'amour
et un assassin
après son crime ?
Après avoir tiré,
on ne sait pas
quoi faire du corps...

À demain !

Quelle recommandation
une maman blonde
fait-elle à sa fille blonde
avant qu'elle ne sorte ?
- Si tu n'es pas au lit
avant minuit, rentre
à la maison !

Blondes d'Aquitaine...

Pourquoi les blondes
ne peuvent-elles pas
attraper la maladie
de la vache folle ?
Parce que c'est
une maladie qui touche
le cerveau...

Belle pouliche !

Pourquoi les blondes
se coiffent-elles
en faisant
une queue-de-cheval ?
Pour cacher la valve
de gonflage !

Une vraie bombe !

Que faire
si une blonde
vous lance
une grenade ?
Enlevez la goupille
et relancez-la-lui !

Une pipe ?

Une blonde entre seule
dans un restaurant.
Le serveur qui l'accueille
lui demande :
- Fumeur ou non-fumeur ?
- Heu... Peu importe,
pourvu qu'il soit
bien membré !

Restons zen...

Pourquoi les blondes
restent-elles des heures
à fixer leur jus d'orange
sans y toucher ?
Parce que sur l'emballage,
c'est inscrit « Concentré ».

Un très gros QI !

Que signifie Q.I.
pour une blonde ?
Quelle Idiote !

Blonde comme les blés...

Quelle différence
y a-t-il entre
une blonde
et un champ de blé ?
La blonde,
même en la bourrant,
ne sera jamais
cultivée !

Y a quelqu'un au bout du fil ?

Un homme offre un téléphone portable à sa femme blonde.
Le lendemain, le mari décide de l'appeler sur son portable afin de s'assurer qu'elle est capable de s'en servir.
La blonde, qui faisait quelques emplettes dans une boutique, répond au téléphone :
-Allô ?
-Allô, chérie ? C'est moi.
-Qui ça « moi » ?
-Ben... Ton mari !
-Hein ? Mais comment t'as fait pour savoir que j'étais au centre commercial ?

Suivez la ligne jaune...

De quoi souffre
une blonde qui a
une idée ?
De diarrhée mentale.
Parce que ce sont
des idées de merde.

Une cervelle d'oiseau...

Une blonde s'exclame :

- Bientôt midi ! Ça va être l'heure de manger !

Sa copine s'étonne :

- Tu as déjà faim ?

- Moi, non. Mais tous les jours, à midi, faut que je prépare des graines dans une soucoupe pour quand il va sortir...

- Mais qui va sortir ?

- Ben..., fait la blonde en montrant son horloge, le coucou !

Quelle souplesse !

Comment une blonde se fait-elle la raie au milieu ?
Elle fait le grand écart.

Décidément, très souple !

Une blonde se ronge les ongles
à outrance.
Sa copine la conseille :
- Tu devrais faire du yoga,
ça te déstresserait.
- C'est vrai que ce n'est pas
très joli ces ongles rongés...
La blonde s'inscrit donc à un cours
de yoga. Un mois plus tard, elle
retrouve sa copine.
- Super ! Je vois que tu ne te ronges
plus les ongles ?
- Oui, c'est terminé ! Grâce au yoga,
je ne me ronge que les doigts
de pied !

On s'y accroche…

Qu'est-ce que
les blondes
accrochent
derrière leur tête
pour être plus
attirantes ?
Leurs chevilles !

Canari rose

Pourquoi les blondes
sifflent-elles
aussi bien ?
Parce qu'elles ont
une cervelle
d'oiseau...

Ablation du cerveau

Qu'est-ce
qu'une lobotomie ?
Une brune qui
se fait teindre
en blonde !

Ça ne se pèle pas !

Comment les blondes appellent-elles le sexe de l'homme ?
La sonde, car c'est ce qui permet de mesurer la profondeur de la cruche...

Al dente !

Qu'est-ce
qu'une réunion
de blondes ?
Un paquet
de nouilles !

Cochonnes...

Dans un bureau, une blonde fait
le cochon pendu, les jambes coincées
dans une poutre au plafond.
Le patron entre dans la pièce et dit :
- Que faites-vous pendue là-haut ?
Descendez immédiatement !
Une autre blonde répond à sa place :
- C'est parce qu'elle se prend pour
un lustre, monsieur !
- Quoi ? ! Qu'elle descende !
Et elle ajoute :
- Mais, comment va-t-on faire
pour s'éclairer ?

Très olé-olé !

Pourquoi les blondes
n'achètent-elles
que du lait en brique
carrée et jamais
du lait en bouteille ?
Pour que le lait
ne tourne pas...

XXXL

Dans un magasin, une dame demande à une vendeuse blonde :

- Excusez-moi, j'aimerais acheter une robe de chambre... Pouvez-vous m'aider ?

- Bien entendu ! répond la blonde. Votre chambre fait quelle taille ?

Faut pas perdre les pédales !

Quel point commun
y a-t-il entre une blonde
et un Vélosolex ?
C'est marrant
de monter dessus,
mais c'est la honte
devant les copains...

Ba be bi bo bu

Une blonde s'apprête à lire
le discours de la cérémonie
d'ouverture des Jeux olympique.
Elle se positionne derrière le micro,
déploie son papier et s'adresse à
l'ensemble des personnes présentes
dans le stade et derrière leur poste
de télévision :
- O ! O ! O... O...
Un conseiller s'approche alors d'elle
et lui dit à l'oreille :
- *Vous* n'avez pas besoin de lire ça,
c'est le symbole olympique...

À table !

Une blonde demande
au serveur :
- Est-ce que vous
servez des nouilles ?
- Bien sûr, nous servons
tout le monde !

Au moins, elle sait lire...

Une blonde, cloîtrée dans sa chambre d'hôtel, pleure depuis quatre jours. Chaque matin, la femme de chambre entre faire le lit et nettoyer la salle de bains avant de repartir, laissant toujours derrière elle la blonde sangloter.
Le cinquième jour, elle lui demande :
- Qu'avez-vous à pleurer ainsi, mademoiselle ?
- Je... Je peux pas sortir ! Sur la poignée de la porte... Y a une étiquette avec écrit dessus : « Ne pas déranger ».

Bon voyage !

À un guichet de la SNCF,
une blonde commande
un billet aller/retour.
- Où allez-vous ?
demande le guichetier.
- Qu'est-ce que ça peut
vous faire ? Puisque
je reviens...

S'envoyer en l'air...

On ne dit pas :
« Je tire sur la ficelle
pour faire monter
le joli cerf-volant ! »
Mais on dit...
« J'arrache le string
pour grimper la belle
blonde ! »

La tête pleine d'eau…

Fait divers :
La femme blonde
d'un marin
mort en mer
s'est noyée
en voulant creuser
la tombe
de son mari…

Entre eux, ça colle !

Pourquoi les blondes
ont-elles du chewing-gum
dans les cheveux ?
Parce que leurs patrons
collent leur chewing-gum
sous leur bureau...

Elle pompe !

Quels sont les points communs entre une blonde et une pompe à essence ?
En bas, c'est ordinaire, au milieu c'est super et, en haut, c'est sans plomb.

Mise en boîte

Que fait une blonde
lorsqu'elle casse
une boîte Tupperware ?
Elle l'emmène voir
un chirurgien plastique...

Lessivée

Pourquoi une blonde
est-elle moins bien
qu'un lave-linge ?
Quand vous remplissez
un lave-linge, il tourne
tout seul pendant une
heure. La blonde, elle,
vous tourne autour
pendant un an.

Petite pause bronzage...

Une blonde part en vacances au bord de la mer. En arrivant à son hôtel, le réceptionniste lui donne les renseignements habituels :

- Le petit déjeuner est servi de 7 h 30 à 11 h, le dîner de 12 h à 15 h, nous servons le thé de 15 h 30 à 18 h et enfin le souper de 18 h 30 à 22 h.

- Oh ! là, là ! Oh ! là, là !

- Vous avez un souci, mademoiselle ?

- Ben oui ! ça me laisse pas beaucoup de temps pour aller à la plage !

Ça atteint des sommets !

Pourquoi les blondes
ont-elles souvent
un mari alpiniste ?
Parce que ce sont
les seuls à pouvoir
grimper sans avoir
peur du vide.

Agiter avant de consommer

Qu'obtient-on
si on remplit une
blonde d'eau ?
Une jolie gourde !

Ça vous en bouche un coin ?

Une blonde est invitée à dîner chez des amis. Lorsque le plateau de fruits arrive, la blonde prend une cerise. Elle la coupe en deux, enlève le noyau puis baisse sa culotte pour introduire le noyau dans son anus.

Elle retire ensuite le noyau, le remet dans la cerise, et gobe la cerise !

Tout le monde est tellement stupéfait que personne n'ose rien dire.

Elle prend ensuite une petite prune.
Elle la coupe en deux, regarde le noyau, semble hésiter mais l'introduit dans son anus, le retire, le remet dans la prune et avale la prune...

Un invité lui demande enfin :

- Mais pourquoi faites-vous cela ?
- Ben, la semaine dernière j'ai mangé une pêche et c'est super mal passé !

1 + 1 = ?

Quand une blonde
peut-elle avoir
deux neurones ?
Lorsqu'elle est enceinte
d'une petite fille
blonde.

Mort cérébrale

Pourquoi les blondes
ne vont-elles pas
au paradis ?
Parce qu'une blonde
n'a pas sa place
dans le monde
des esprits !

Secouez-la ! Secouez-la !

Que fait une blonde
pour jouer
des maracas ?
Elle secoue la tête !

Pourquoi les blondes
ne regardent-elles
les DVD qu'une seule fois ?
Parce qu'elles ne savent
pas comment
les rembobiner !

Sales bêtes !

Que fait une blonde sur les quais de la Seine avec une bombe insecticide ?
Elle vaporise les bateaux-mouches.

Le petit kilo superflu…

Pourquoi le kilo
de cervelle de blonde
est-il plus cher que le kilo
de cervelle de brune ?
Avez-vous une idée
du nombre de blondes
qu'il faut abattre pour
obtenir un kilo ?

Elle pédale dans la semoule...

Pourquoi une blonde
qui dit aller faire
du vélo s'assoit-elle
sur le canapé ?
Parce qu'elle a un petit
vélo dans sa tête...

De l'air !

Comment une blonde
se fait-elle de l'air
avec un éventail ?
En remuant la tête
de gauche à droite !

Un mouchoir pour pleurer

Quelle maladie
une blonde
n'aura-t-elle
jamais ?
Le rhume
de cerveau.

Ça ne vole pas haut…

Pour qui une blonde se prend-elle quand on lui dit qu'elle est nymphomane ?
Pour un super-héros.

Oups !

Pourquoi Dieu a-t-il fait les blondes si jolies ? Pour s'excuser d'avoir oublié leur cerveau.

Stop !

Que répond une blonde quand on lui parle de la ménopause ?

- Hein ! ? Mais je n'ai pas cette touche sur mon magnétoscope !

Un petit bouton ?

Qu'est-ce qu'un grain de beauté sur le cul d'une blonde ?
Une tumeur au cerveau.

Saute moins fort !

Pourquoi les blondes
sautent-elles sur
les passages piétons ?
Elles jouent du piano
debout...

Local vide à aménager…

Comment faire entrer
quelque chose dans
la tête d'une blonde ?
En greffant
un vagin dessus.

Ce n'est pas une lumière !

Quand peut-on dire
d'une blonde qu'elle
est brillante ?
Lorsqu'elle porte
une robe à paillettes...

Silence !!!

Comment faire
taire une blonde ?
On lui disant
de dire tout
ce qui lui passe
par la tête.

Aux abris !

Pourquoi les blondes
restent-elles confinées
chez elles ?
Parce que les pintades
risquent d'attraper
la grippe aviaire !

Un mouchoir ?

Que dit une blonde
qui a le nez qui coule ?
- Merde ! Je suis
déjà pleine ?

Elle ne manque pas d'air !

Quand peut-il être légal
de tirer une balle dans
la tête d'une blonde ?
Quand vous possédez
une pompe à vélo pour
la regonfler !

Taillo ! Taillo ! Taillo ! Ferme ta...

Une blonde va chez son gynécologue. Elle installe ses jambes dans les étriers et le gynécologue s'approche pour l'examiner :

- Oh ! là, là !... Oh ! là, là !... Je n'ai jamais vu... Je n'ai jamais vu... un sexe aussi grand... un sexe aussi grand !

- Vous n'êtes pas obligé de tout dire deux fois ! répond la blonde.

- Mais je ne l'ai dit qu'une fois... Mais je ne l'ai dit qu'une fois...

Ça sent le roussi...

Une blonde entre dans
un ascenseur dans lequel
se trouve déjà un homme.
Au bout d'un moment, l'homme
demande à la blonde :
- Pourrais-je sentir votre
petite culotte ?
Offusquée, la blonde répond :
- Bien sûr que non ! Espèce de
malade !
- Alors, pardonnez-moi,
ce doit être vos pieds...

Enfermez-la !

Que se passe-t-il
quand une blonde
se retrouve seule
dans un zoo ?
Le QI moyen du zoo
baisse...

C'est plus long qu'à Disney !

Pourquoi des blondes
ont-elles été retrouvées
mortes de froid devant
le Parc Astérix ?
Parce que c'était écrit
« fermé pendant l'hiver »...

Blonde ou brune ?

Pourquoi Dieu a-t-il créé
les blondes ?
Parce que les chèvres
ne savaient pas aller
chercher les bières
dans le frigo.
Et pourquoi a-t-il créé
les brunes ?
Parce ce que les blondes
n'y arrivaient pas non plus...

Parce qu'elles le valent bien !

Qu'est-ce qu'une brune
très très conne ?
Une blonde aux cheveux
très très sales...

Envie de peloter ?

Une blonde vient d'apprendre à tricoter. Son mari lui demande :

- Chérie ! Arrête-toi un peu de tricoter !

- Il ne faut pas que je m'arrête, j'essaye d'aller le plus vite possible !

- Mais pourquoi ?

- Pour finir avant que la pelote ne soit terminée !

Ne pas mouiller !

Pourquoi les blondes
n'achètent-elles
jamais de lessive ?
Parce que la lessive
élimine les taches !

Une idée qui germe ?

Pourquoi le cerveau
des blondes est-il gros
comme un petit pois,
le matin ?
Parce qu'il gonfle
pendant la nuit.

L'aile ou la cuisse ?

Pourquoi les blondes
ne sortent-elles pas
à Noël ?
Parce qu'on mange
les dindes !

Alerte à Malibu...

Sur une plage, une blonde arrive
en courant vers les maîtres nageurs.
À bout de souffle et surexcitée,
elle leur dit :
- Venez vite ! Venez vite ! Là-bas,
au bord de l'eau... Oh ! là, là ! C'est
incroyable ! Y a un os de seiche qui
fait au moins deux mètres !
Un maître nageur s'empare alors de
son haut-parleur et fait une annonce :
- Monsieur Thibault ! Vous êtes prié de
venir au poste de secours. Nous avons
retrouvé votre planche de surf...

Touchée, coulée...

Une blonde est en pleurs.
Son papa lui demande :
- Que se passe-t-il, ma fille ?
- Papa... je crois que je suis enceinte ! répond la jeune blonde.
- Mais ? Comment est-ce possible ?
- Les piles de mon vibromasseur ont coulé...

Un transport pas commun...

Deux copines blondes partent en vacances. Elles portent leurs sacs sur le dos et marchent sur une voie de chemin de fer.

- C'est la première fois que j'emprunte un escalier aussi long, dit la première.
- Et moi avec une rampe aussi basse ! répond la seconde.
- T'inquiète pas ! J'entends l'ascenseur qui arrive...

C'est pour rire !

Pourquoi les blondes
n'ont-elles pas
le sens de l'humour ?
Comment des écervelées
pourraient-elles
avoir de l'esprit ?

Regrets éternels…

Quel point commun
y a-t-il entre la perte
d'un être aimé et
une blonde qui a mal
à la tête ?
Dans les deux cas,
on parle d'un vide
douloureux…

Enfermez-les !

Pourquoi les blondes
ont-elles peur
des bocaux ?
Parce qu'on y enferme
les cornichons !

Ne pas tirer !

Pourquoi les blondes
ne peuvent-elles pas
se suicider d'une balle
dans la tête ?
Parce que la balle tourne
en rond sans jamais
trouver le cerveau.

Double airbag

Une blonde arrive à
la caisse d'un supermarché
et remarque le prénom
que la caissière a d'inscrit
sur une étiquette
accrochée au niveau
de son sein gauche.
Elle lui dit :
- *Sylvie ? C'est mignon...*
Et comment s'appelle l'autre ?

Bon vent !

Que se passe-t-il
si une blonde française
emménage aux États-Unis ?
Une augmentation du Q.I.
moyen de la population
des deux pays !

Intelligence crasse

On ne dit pas :
« Je me suis fait une tache. »
Mais on dit...
« J'ai couché avec une blonde ! »

Difficiles à monter

Pourquoi les blondes ont-elles des difficultés à monter une tente ? Parce que même congelées, il est extrêmement difficile de planter ces satanées sardines !

Quelle ânerie !

Pourquoi les enfants
donnent-ils des tickets
de manège aux blondes ?
Pour faire un tour
de manège sur le dos
d'une bourrique.

Toujours bien coiffées !

Trois blondes disputent une partie de golf. Derrière elles, deux hommes attendent patiemment leur tour. La première blonde putte la balle puis, lorsque cette dernière s'est immobilisée, se frotte le sexe ! La seconde blonde pose alors sa balle au sol... putte en direction du drapeau et enfin se frotte l'entrejambe ! Les deux hommes sont très étonnés et ne comprennent pas pourquoi elles font cela. La troisième blonde s'apprête à putter...

Elle envoie sa balle vers le trou, range son fer dans le caddie et se frotte, elle aussi, le sexe !
L'un des deux hommes finit par demander :
- Dites-nous, pourquoi vous frottez-vous l'entrejambe après chaque coup ?
Une des blondes lui répond :
- Ben... On nous a dit qu'après avoir frappé, il fallait toujours remettre les touffes en place !

Le coup de la panne...

Une blonde vient se plaindre
auprès de son médecin
de l'absence de rapports sexuels
avec son mari.
Le médecin lui demande :
- *Votre mari a-t-il quand même
une forte érection ?*
Et la blonde lui répond :
- *Non ! Il n'a qu'une Ford Escort !*

Ça mousse !

Quelle est la blonde
plus bête que toutes
les autres blondes ?
La Kronenbourg !
Et quelle est la seule blonde
plus intelligente que toutes
les autres blondes ?
La Kanterbrau...

Gazon...

De quelle couleur sont
les poils pubiens
d'une blonde ?
Vous avez déjà vu
de la mauvaise herbe
pousser sur l'autoroute ?

Un petit bijou...

Quelle différence
y a-t-il entre une huître
et une blonde ?
L'une développe une perle
de culture,
l'autre est une perle
d'inculture...

C’est chaud !

Quelle différence
y a-t-il entre un blond
et une blonde ?
À la fin de l’été,
il y a plus de sperme
dans la blonde
que dans le blond.

Bête à enfermer !

Quelles sont les deux
choses dont une blonde
a besoin pour aller
au zoo ?
Un ticket pour entrer,
et un ticket pour sortir...

Baignade dangereuse...

Quel est le point commun entre le Triangle des Bermudes et le petit triangle d'une blonde ? Ils ont tous deux avalé beaucoup de marins !

Glace à la crème...

Qu'est-ce qui gêne
les blondes quand elles
sucent une glace ?
Les poils dans
la bouche !

Croque Odile ?

Que dit une blonde
quand elle voit
un crocodile ?
- Tiens ! Ils font des
bateaux chez Lacoste ?

1... 2... 3... partez !

Pourquoi les blondes
font-elles leur marché
en courant ?
Elles font les courses...

Auraient-elles inventé l'eau chaude ?

Qu'est-ce qui est blanc
et qui fait Pschitttt
dans l'eau ?
Une blonde qui se trempe
les fesses.

Quel putte !

Une blonde ne parvient pas à frapper sa balle de golf. Un professeur la conseille :
- *Vous* tenez vraiment votre club comme un manche ! Faites comme si vous teniez le sexe de votre mari, peut-être serez-vous plus efficace ?
La blonde écoute le professeur et...
frappe la balle qui retombe à 80 mètres !
Le professeur est fier de son élève :
- C'est un très beau coup mais...
la prochaine fois, tenez le club avec les mains, pas avec la bouche !

Sur un siège éjectable...

Qui a-t-il de plus désagréable lorsqu'on fait l'amour avec une blonde ?
L'inconfort des sièges arrière.

Ce n'est pas une lumière...

Que fait une blonde
pour éteindre
la lumière ?
Elle ferme les yeux.

Quelle coïncidence !

Une blonde se rend
au confessionnal
et s'adresse au prêtre :
- Voilà, mon problème,
c'est que je n'ai jamais
connu mon père,
se plaint-elle.
- C'est une chose qui arrive
malheureusement très
souvent, ma fille.
- Papa ?

Tout un programme...

Que fait une blonde
pour zapper
les programmes TV ?
Elle ferme les yeux,
oublie tout,
puis les rouvre...

Laisse tomber…

Une blonde pousse un mur…
Qui du mur ou de la blonde
va céder le premier ?
Le mur, car c'est toujours
le plus intelligent qui cède
le premier !

Oh oui !

Quels sont les mots susceptibles de provoquer un orgasme chez une blonde ?

« Soldes : -50 % ! »

Elle a une fuite…

Pourquoi une blonde court-elle autour de sa maison avec un seau d'eau ? Pour avoir de l'eau courante !

Trop petit pour opérer

Une blonde se rend chez
son médecin :
- *Vous avez les résultats
de mon scanner de la tête ?*
- Oui, mademoiselle.
J'ai une très bonne nouvelle
à vous annoncer : vous avez
un cerveau sur la tumeur !

Ça glisse…

Quelle différence
y a-t-il entre une blonde
et une femme de ménage ?
Avec la femme de ménage,
quand c'est mouillé,
on n'entre pas !

La meilleure amie de l'homme

Pourquoi Dieu a-t-il
créé les blondes ?
Parce qu'il n'avait plus
assez de poils pour
finir les labradors...

Survoltée

Le bourreau demande
à une blonde qu'on amène
sur la chaise électrique :
- Avez-vous une dernière
volonté ?
- Heu... Non, par pour
le moment.

Sourdingue !

Que répond une blonde
quand on lui parle
du boom démographique ?
- Mais ! ? J'ai rien entendu ?

Ambiance lumière tamisée…

Comment faire apparaître une lueur d'intelligence dans les yeux d'une blonde ?
En éclairant l'intérieur de son oreille.

Va chercher !

Pourquoi attache-t-on un os autour du cou des blondes ?
Pour que les chiens veuillent bien jouer avec elles !

Dans la lune !

Que fait une blonde
avec ses valises
à Euro Disney ?
Elle s'apprête
à embarquer
dans Space Mountain !

La marée blonde...

Comment peut-on expliquer
le phénomène des marées,
en Floride ?
Il y a de cela très longtemps,
des blonds bodybuildés
et des blondes siliconées
sont venues s'installer
en Floride. La mer, dégoûtée,
s'est retirée et depuis, toutes
les douze heures, elle revient
voir s'ils sont toujours là...

Cerveau liquéfié…

Que font les blondes
qui se promènent
avec un seau d'eau ?
Elles partent faire
les soldes avec
l'intention de payer
en liquide.

À remplir…

Pourquoi les blondes
ne manquent-elles
jamais d'eau ?
Parce qu'elles
sont cruches !

Belle monture !

Une blonde décide de faire
de l'équitation, non pas parce que
c'est une position qu'elle connaît bien,
mais parce qu'il y a justement un club
pas loin de chez elle.
La première semaine, la blonde se
familiarise avec le cheval. C'est un animal
dont elle a un peu peur alors elle vient
le voir tous les jours pour lui parler
et le caresser.
La seconde semaine, elle se contente
de monter dessus et de ne pas bouger
pendant quelques minutes.
La troisième semaine,
ses craintes se sont dissipées

et elle se rend au club pour
sa première vraie leçon d'équitation !
La blonde monte sur le bel étalon
et peu de temps après,
ce dernier s'emballe et part au galop !
La blonde panique et hurle de terreur.
Soudain ! Le cheval se met à faire
des ruades, la blonde crie
pour que quelqu'un lui vienne en aide
et s'accroche comme elle peut
aux sangles de l'animal !
Heureusement, à ce moment-là...
le directeur du supermarché
arrive et débranche la prise.

Zéro de conduite !

Pourquoi les blondes
sont-elles recalées
à l'examen du permis
de conduire ?
Parce qu'elles
montent directement
sur la banquette arrière !

One, two...

Deux brunes et une blonde,
en vacances en Angleterre,
résident à l'hôtel.
Un matin, elles sont en retard
pour prendre leur petit déjeuner
et arrivent donc en courrant
dans la salle de restauration.
Les deux brunes arrivent
et disent au serveur :
- Sorry, I'm late !
La seconde brune :
- Sorry, I'm late too !
Et enfin la blonde :
- Sorry, I'm late three !

L'expérience interdite

Un homme se rend chez un
chirurgien pour qu'il
le transforme en blonde.
- *Vous pensez pouvoir
y arriver, docteur ?*
- *Oui. Je vais vous changer
le sexe, faire un implant
mammaire, vous teindre
en blonde, vous siliconer
les lèvres, mais le plus difficile
sera certainement l'ablation
du cerveau...*

On monte ?

Un couple se présente
à la réception d'un grand hôtel.
La femme est blonde, porte
une mini-jupe et un décolleté plongeant.
L'homme, plus âgé d'une vingtaine
d'années, est en costume cravate
et demande au réceptionniste :
- Nous voudrions une chambre
avec un grand lit et une grande salle
de bains !
Il se tourne vers sa compagne
et lui lance :
- N'est-ce pas chérie ?
Et elle lui répond :
- Absolument, monsieur le directeur !

Elle débarque...

Une blonde et une brune
sont dans un gros bateau
de croisière.
Les deux tombent à l'eau.
Qui touche l'eau la première ?
La brune car la blonde
a dû s'arrêter pour
demander son chemin.

Œuvre humanitaire

Une secrétaire blonde se plaint auprès de son patron :

- Monsieur, je ne suis pas contente ! Mon salaire n'est en rapport ni avec mes capacités, ni avec mes facultés intellectuelles !
- Je sais, mademoiselle... Mais je ne vais tout de même pas vous laisser crever de faim ?

Ça n'avance à rien !

Qu'est-ce qui fait
« Vroummm ! Crrrriiiiii !
Vroummm ! Crrrriiiiii !
Vroummm ! Crrrriiiiii... » ?
Une blonde au volant de
sa voiture, face à un
feu orange clignotant...

Que c'est long !

Une blonde est assistante de direction. Avant de partir en vacances, son patron lui dit :

- Je pars pour Milan !
- Oh ! là, là !

Pour si longtemps que ça ?

Humide

Une blonde et une brune
se sont perdues dans la forêt.
C'est l'hiver, la nuit tombe et elles
commencent à grelotter de froid.
La brune sort de sa poche
une boîte d'allumettes.
- Nous sommes sauvées, on va
pouvoir faire un feu !
Après avoir préparé un petit
tas de branchages, la brune sort
une allumette, la gratte, mais trop
humide, elle ne s'allume pas...
Elle sort une deuxième allumette,

mais toujours trop humide,
impossible de l'enflammer !
La brune n'a pas plus de chance
avec les allumettes suivantes.
Les deux copines commencent à avoir
extrêmement froid et le feu devient
une nécessité vitale. Il ne reste plus
qu'une allumette ! Leur dernière
chance... La brune la sort, la gratte
et... Pffffiou ! L'allumette s'embrase !!!
À ce moment-là, la blonde souffle
dessus, l'éteint et dit :
- Celle-là marche, gardons-là !

Alors, heureuse ?

Comment reconnaît-on une blonde très heureuse d'avoir fait un tour en moto ? Aux moustiques collés sur ses dents.

Elles sont lourdes !

Pourquoi les blondes
se promènent-elles
dans la savane avec
une enclume ?
Parce que si une lionne
les attaque, elles peuvent
lâcher l'enclume pour
courir plus vite !

Tu danses ?

Que fait une blonde
qui trouve un billet de
5 euros par terre,
en discothèque ?
Elle se met à danser
tout en se déshabillant.

Mal à la tête...

Comment reconnaît-on
une blonde qui joue
à la pétanque ?
C'est celle qui essaye
de faire des têtes !

Ouvrez la fenêtre !

Un homme a invité
une grande blonde
au restaurant.
Il engage la conversation
en lui faisant un compliment :
-Quelle pétulance !
s'exclame-t-il.
-Monsieur, je ne vous permets
pas de me tutoyer !

Superboss

Une assistante de direction
dit à sa collègue blonde :
- Tu ne le trouves pas mignon
notre nouveau patron ?
- Oh ! là, là ! Si !
- Il s'habille super bien.
- Oh ! Oui ! Et super vite aussi...

Elles le prennent de haut…

Pourquoi les blondes
portent-elles
des talons aiguilles ?
Parce qu'elles
en ont marre
de se faire traiter
de petites connes !

Un coup pour rien...

Une blonde rencontre
une ancienne copine...
- Salut ! fait la copine.
Alors que deviens-tu ?
- Ben... J'suis mariée !
répond la blonde.
- Génial ! Tu as des enfants ?
- Oui, j'en ai quatre. J'ai eu deux
fois des jumeaux !
- Incroyable ! Si je comprends
bien, tu fais des jumeaux à tous
les coups ?
- Heu... Non, y a des coups
où y a rien.

Gonflée à l'hélium...

Pourquoi les blondes
attachent-elles leur tête
au bout d'une ficelle
et tiennent-elles fermement
l'autre bout dans leur main ?
Au cas où leur tête
s'envolerait, car on leur
a dit qu'elles étaient
tête en l'air...

Ouaf ! Ouaf !

Une blonde rend visite à une sexologue.
- Sexuellement, mon mari et moi... on s'ennuie.
- Il faudrait pimenter un peu votre vie sexuelle. Changez de positions, essayer la levrette, par exemple ! conseille la sexologue.
- La levrette... C'est quoi ?
- Vous avez déjà vu comment font les chiens dans la rue ?
- Oui !
- Eh bien voilà ! C'est ça !
- Ah d'accord ! Mais... Il faut quand même qu'on trouve un quartier où personne ne nous connaît !

Et la moralité dans tout ça ?

Une magnifique blonde
vêtue d'une longue robe blanche,
qui laisse transparaître des formes
généreuses, entre dans un casino.
Elle traverse la salle de jeux
en balançant des hanches...
Tous les hommes se retournent
sur son passage. Elle s'avance jusqu'à
la table où l'on joue à la roulette
et se penche légèrement en avant
au-dessus de la table. Tout le monde
plonge dans son décolleté...
La blonde dit aux deux croupiers :
- Permettez que je me mette nue...
ça me porte chance !
Les croupiers et les joueurs restent

bouches bées. Pendant que la roulette
tourne, la sculpturale blonde se
déshabille intégralement !
Elle pose ses jetons sur le tapis
et lorsque la boule s'arrête, elle hurle :
- Youpi ! J'ai gagné ! J'ai gagné ! Youpi !
La blonde se rhabille et repart avec
une petite fortune... L'un des deux
croupiers demande alors à son
collègue :
- Tu sais quel numéro elle a joué ?
- Non... Et toi ?
- Moi non plus...
Moralité : toutes les blondes
ne sont pas idiotes, mais la plupart
des hommes sont des pervers !

Soulagée...

Une blonde vient de passer
un scanner de la tête.
Soucieuse, elle demande
au docteur :
- Alors, que montrent les
radios de ma tête ?
- Que vous n'avez rien...